THE SECOND CHANCE :)

SECOND CHANCE :)

Ver. 1

By. CINDY

The Second Chance (Ver.1)

발 행 | 2024년 5월 16일
저 자 | 박소영 PARK SO YOUNG (CINDY)
펴낸이 | 한건희
펴낸곳 | 주식회사 부크크
출판사등록 | 2014.07.15.(제2014-16호)
주 소 | 서울특별시 금천구 가산디지털1로 119 SK트윈타워 A동 305호
전 화 | 1670-8316
이메일 | info@bookk.co.kr

ISBN | 979-11-410-8541-4

www.bookk.co.kr

오늘이 소중한 너에게 🤍
멋진선물이 되는날!

PRESENT IS THE BEST PRESENT!

TABLE of CONTENTS ♡

WHEN?

WHERE?
Every where!

WHY?
You're so special!
We want you to be happy! ⌣

How?

FOLLOW US!!!

1. CINDY's COSMOS
신디의 우주세계 :)

영어의 8품사:)

저의 첫 번째 Episode는 우주입니다.

우주를 선택한 이유는 평상시에 저는 하늘에 달이 떠 있으면

어린 아이처럼 휴대폰을 켜고 달 사진을 찍고 달을 너무좋아해요.

달이 있는 공간들도 호기심이 생기며 행성들에

좋아하는 마음이 커지게 되었어요.

더 나아가 무한한 우주까지 좋아하게 되었습니다.

우주에서 가장푸르고 물이 가득한 지구에 먼지같은 존재인 소영이는

초중등 영어강사를 하며 아이들의 성장하는 중요한 시기를 함께 보내며,

아이들이 우주처럼 광활한 꿈을 키워 나가길 바라는 마음으로 기초부터 튼튼!

지도 하며 강조 했던 8품사 내용들을 저만의 우주에 담아 보았어요.

이번 Episode의 4가지 Point :)

1.우주에서 존재하는 태양계의 개수 8개

2.코스모스 꽃잎 8장

3.영어문법에서 가장 먼저 알아야 할 단어의8품사

4. ? → (Hint : "9")

이 책은 박소영이라는 작가의 독특한 개성과, 저의 영혼의 단짝 캐릭터

Cindy를 통해서 4가지 point를 그림,사진, 내용으로 담아보았어요.

제 책을 봐주시는 여러분의 모든 삶의 순간들이 우주의 하늘처럼,

반짝이고 아름답고 찬란한 하루가 되 시길 바라는 마음으로 만들었습니다. :)

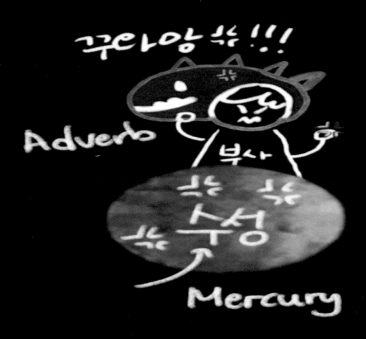

수성은 태양 가장 가까이 위치하고 있다.
수성의 표면에는 운석 충돌로 생긴 구덩이가 많고
낮과 밤의 온도 차이가 매우 심하다.

8품사 중에서 버럭이! 부사는 동사, 형용사, 다른부사들을
매우 좋아함.(수식해줌) 명사를 질투하면서 부사 얼굴에는
바직표시가 많아 얼굴이 울그락 붉으락 감정기복이 심함.

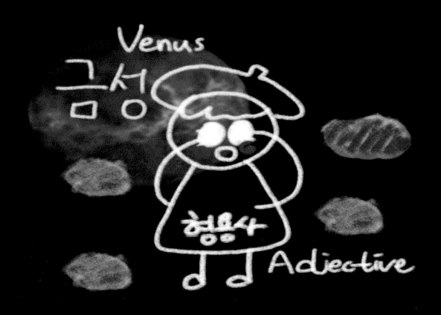

금성과 지구는 크기가 같음. 하지만 금성은 이산화탄소로
이루어져 기압이 높음. 지구는 액체인 물로 이루어져 있어
서로 반대의 성격을 띄고, 금성은 두꺼운 구름으로 덮여
있고 햇빛을 잘 반사함.

형용사와 접속사는 키가같음. 하지만 형용사는 소심하고
부끄러움이 많은 반면 접속사는 활발하다. 지구와 자주
비교 당함. 비교 받아 스트레스 받는 형용사는 반사!
구름에 숨어서 짝사랑하는 명사 사진 보는 것을 좋아함.
(형용사는 주로 명사를 수식많이 해줌 :)

지구는 액체로 이루어져 물이 풍부하고 많은 생물이 살기에
가장 적합한 행성이다. 산소와 질소로 구성되어 생명체
가 살아가는데 필요한 요소들을 제공해줌.

8품사 중에서 풀(Glue)을 가장 사랑하며
딱!풀은 접속사의 페이보릿 Glue!!!
영어 단어,문장이 여기저기 흩어져있다면....
붙이기 대장 접속사 등장!
접착제 처럼 착!착!착! 붙이는걸 가장 좋아함.

화성은 철산화 물로 이루어져 붉게 보여 붉은 행성이라고도
불려짐. 주로 대기가 이산화 탄소로 이루어져있고
얼음, 캐년, 화산 등이 존재하는 것으로 관찰 되어진다.

8품사 중에서 가장 많이 움직이고 문장의 핵심인물들!
일반동사, 조동사, Be동사 3가지 동사로 이루어져있고
가장많이 움직이는 일반동사 (사고뭉치 행동대장)
조수석에 앉은 조동사 (조수역할)
Am, Are, Is ~물결 풍선달고 잘난척쟁이 Be동사
(~이다)로 해석해준다.

20

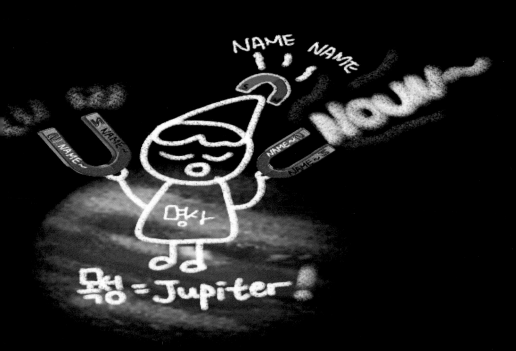

목성은 태양계에서 가장 큰 크기의 행성이다.
수소와 헬륨가스로 이루어져 있고
강력한 자기장을 가지고 있다 .

8품사 중에서 가장 많은 이름을 가지고 있고
이름 모으기를 좋아하는 명사이다.
사람,사물의 이름들, 모든 이름이 보이면 강력한 이름자석을
사용하여 이름을 수집하는 것이 특징 이다.

토성은 두번째로 가장 큰 행성이다.
토성은 고리가 있고 얼음,조각,바위,먼지로 이루어져 있고,
목성과 비슷하게 수소와 헬륨으로 구성되어 있으며
강한 자기장을 가지고 있다.

대명사는 두번째로 이름을 모으는 친구이며 명사를
대신하여 이름을 모아서 인칭대명사 표를 만들었다.
주격,소유격,목적격,소유대명사로 이루어진 자석을 개발!
명사와 비슷한 자석을 들고 이름들을 연구하는게 특징.

22

천왕성은 메탄의 존재로 인해 파란색을
띠고 있는 행성이다.
태양계에서 가장 기울어진 축을 가지고 있으며
계절의 변화가 관측되고 있다.

8품사 중에서 흥이 많으며
장소 와시간을 나타내는 춤을 잘 추는게 특징이다.
대표적인 춤의 이름은 In,At,On이 있다.
(장소) In: ~안에 / On: ~위에 / At: ~에
(시간) In: 년도, 계절 / On: 요일 / At:(째깍) 시간

해왕성은 태양으로 부터 가장 멀리 떨어져 있다.
천왕성과 유사하게 가스로 이루어져 있다.
특징은 강한폭풍과 태암흑점이 나타나고 있다.

감탄사는 8품사 중에서 여러분이 가장
들어 보지 못한 친구 중 한명이다. (감탄사:ㅠ.ㅠ)
감탄사의 특징은 특히 느낌,놀람, 부르는 대답에
강력한 유성 스탬프로 느낌표 점을 퐁! 찍는게 특징이다.

Episode 1 Wrap up :) 134340 = 19900402

예전엔 태양계를 함께 공전했던 행성이였지만,
지금 태양계에선 포함되지 못하여 퇴출 된 제 9의 행성이었던 명왕성아♥
너가 포함되어 있지 않더라도, 일반적인 행성의 모습에 많이 벗어나 있다라는
이유로, 분류에 적합하지 않아 왜소행성이 되어 134340이라는 생소한
이름으로 바뀌었더라도, 넌 여전히 신비롭고 사랑스러운 모습으로 우주여행을
하고 있는 너를 볼 때 나도 너처럼 되고 싶고 부러운 마음이 들어.
나는 다른 사람들보다 뛰어난 재능이나 기술이 많지 않지만, 사회가 원하는
모습 속 "나"라는 사람을 한 장의 자기 소개서 공간의 틀에 구겨 넣어 내가
믿지 있더라노, 내가 살아 온 모든 순간들이 힘이 들어 주저 앉고 싶어도,
나의 먼지 같은 노력들이 모여서 내가 이루고자 하는 목표 인 여기 까지 닿을
수 있었던거 같아. 먼지 같은 노력들 속에서 내가 깨달은 점은 옛날 베네치아
장인들이 사용 했던 기법 중에 거울의 아말감이랑 금을 섞으면 거울에 비치는
이미지가 훨씬 더 따뜻한 색조를 띄게 해주는 것 처럼 내 마음은 온 우주의
모든 사람들이 가진 멋지고, 예쁜 마음의 거울을 따뜻하게 만들어 줄 수 있는
아말감과 같은 존재가 되고 싶다는 바램이 생겼어.
제 9의 행성이였던, 명왕성아♥
9라는 숫자는 한 자리 숫자 중 가장 큰 숫자이고
완성의 10이라는 숫자에 도달할 수 있는 큰 힘을
가지고 있는데 아마 넌 그 힘을 찾으러
떠날 수 있도록 보내 준게 아닐까?
너가 더 큰 행성이 될 수 있게, 다시 태어나서,
더 새로운 너가 되어 자유롭게 우주 여행을 하는
New! 명왕성 으로 다시 살아 갈 수 있도록! ^^
난 지금 너의 있는 모습 그대로 소중하고,
넌 너무 많이 사랑스러워).〈!

지금도 넌 너무 멋지고 예쁜걸!

보이지 않더라도, 누군가는 널 알아주지 않아도,
언제, 어디서나, 무엇을 하든 지금처럼
항상 널 많이 응원할게! 너의 행복을 빌어줄게!

두번째 Episode는 북터뷰 입니다.

북터뷰를 생각하게 된 이유는 평상시에는 전혀 책 한 장도 읽지
않던 저를 보며, 나의 내면의 모습을 바꾸고 싶다! 모든 걸 바꿀수 있는
힘을 만들어 봐야겠다는 생각으로 그 뒤로 자기 계발서도 읽고, 소설 책도
읽으며 우연히 방문했던 지금 니 생각중이야의 지금 작가님을 뵙고
작가님처럼 유명한 작가님을 인터뷰 해 본 다면??........!!!
인터뷰 + 책 + 그리고 전 영어 강사여서 이 모든 조합들을
다 접목 시켜 탄생하게 된 영어나라의 4명의 작가님들!
4명의 작가님들의 이야기 속으로 Let's Go!

주어작가님‼
#주인 #주인공
#명사 #대명사

Q: 작가님, 안녕하세요.
자기 소개 부탁드려요!

A: 안녕하세요.
저는 주어라고 합니다.
영어나라에 사는 제가 저의
이야기를 여러분에게 들려
드리고 싶어서 이렇게 책을
만들게 되었어요. ^^

Q: 만나서 반갑습니다.
작가님의 책에 대해서 설명부탁드립니다.

A: 네! 이 책은 저의 이야기가 담겨 있는 책이에요.
실제로 살면서 주인공처럼 인생을 살지 못했지만,
책 속 영어나라에서는 제가 주인공으로 나오며
문장의 주인이 되는 과정을 소개하는 책 입니다.

　등장인물 로는 주어에게 가장 소중한 2명의

명사, 대명사 친구가 혼자서는 주인공이 되지

못하는 주어에게 이름을 모으는 취미를 알려주고,

친구가 되어 서로서로 도우며, 인생의 주인공으로

살아 갈 수 있게 감사한 마음으로 다른 사름들에게

용기를 주고 도움을 드리는 주어로 살아가는 과정이

담긴 책 입니다.

9. 감사합니다^^ 작가님!
필자분들께 전달 말씀 부탁드려요.

저의 인생에서 단 한번이라도
내가 마음 편하게 내 마음대로, 나의 삶의
주인이 되고 싶었고, 저의 실제 성격이 자신감도 부족하고
저의 의견을 제대로 표현하지도 못하며 주변사람들의
시선에 항상 신경쓰다보니,
결국은 제 인생에서 저는 주인공과 점점 멀어져 있었어요.
책 속에서 만큼은 당차고, 씩씩하게, 진취적으로
내가 정말로 원하는 삶을 살아가며 인생의 주인공은 바로 나!
라는 마음을 담고 싶어서 글을 쓰기 시작하였습니다.
혼자 도전하면서 어떻게 방향성을 잡으며 나아갈지,
생각대로 잘 되지 않아 힘들어 할 때 마다
저를 도와준 명사와 대명사 친구들 덕분에
용기를 낼 수 있었고
제가 주인공이라는 마음으로 상상을 하며 글을 쓰다보니
어느 순간 제가 책의 주인공 처럼
실제로도 제가 주인공 처럼 같은
삶을 살고 있더라구요.

우리 모두 다 인생의 주인공들 이에요!

여러분은 실로 멋지고 기적처럼 놀라우며

참으로 귀한 존재이니깐요.

여러분에게 감히 멋지고,화려한 개성을

누릴 권리를 찾게 해 주세요.

가장 빛나게 그리고 멋지고 화려하게 예쁘고

하나뿐인 여러분의 인생에서 주인공으로

행복 하셨으면 좋겠습니다.

당당하게 주인공은 바로 여러분!! 꼭 기억해주세요.

여러분 모두 행복하세요!♥

서술어 작가님!!

#헬리콥터 맘 #청개구리 동사들
#육아 스트레스 #엄마는 강하다!

Q: 작가님, 안녕하세요.
자기 소개와 함께
간단한
책 소개 부탁드리겠습니다.

A: 안녕하세요.
휴~!
동사들을 찾으러 뛰어 다녀서
땀이^^;;;

여러분, 만나서 반가워요~^^

저는 사고뭉치 동사들을 걱정하는 헬리콥터 맘 서술어 입니다.

움직이는 걸 너무 좋아하는 동사들이 사고를 치지 않을까...

청개구리처럼 말끝마다 (~하다),(~이다)라는

말을 매일해요. 말은 잘 안들어도 ^^;

아주 사랑스러운 아이들이랍니다.^^

세월이 흘러 어느 순간 제 이름은 서술어인데 주변사람들은

저를 "동사엄마"라고 불러 주시더라구요.

움직임이 많은 아이들을 케어하느라 힘은 들어도

아이들을 보며 웃음 지을 때가 많고 보람도 느껴요.

하지만, 엄마라는 이름 그 전에 엄마들도 본인만의 이름,

꿈과 목표를 가지고도 포기한 순간 들이 많으 셨을텐데

우리 엄마들의 용기 있는 도전을 응원하고 픈 마음과

저의 목표였던 저의 첫 책 만들기 목표를 이루게 되었습니다.

이 책은 저의 육아 꿀팁!

(청개구리 금쪽이 동사를 착한 동사 만들기 대작전!)

그리고 동사들을 사랑하는 마음을 가득 담아 쓴 책입니다.

Q. 우와+_+!
아이들을 향한
작가님의 진심가득
애정의 마음이
느껴져요.

작가님의 첫 도전을
축하드리며 앞으로도
응원하겠습니다.
필자분들께
전달 말씀 부탁드려요.

A: 아이들의 육아로 지치고, 저의 꿈이나

예전부터 소망했던 버킷리스트를 이룰 희망도 안 보여서,

주머니 속에 꾸깃꾸깃 접어서 펼 수도 없을 만큼

구 겨 버렸어요.

더 이상 내가 이룰 수 없는 꿈이라는 생각과

종이를 보면서 그 종이가 마치 내 인생처럼 보였어요.

정말 내가 아무것도 할수 없단 마음을 가졌을 때,

꿈도 삶도 멈춰지면서 머리로는

앞으로 나가야 한다는 걸 알면서도 마음이 움직이질 못했죠.

힘들어 하는 걸 보며 안아주고, 토닥여주며 제가 움직일 수 있게
세모 모자를 저에게 씌워주며 우리 동사 아이들의 움직임의
에너지가 저를 일으켜 세워 주었어요.

지금 여러분의 심장은 두근두근 뛰나요?
여러분의 마지막 움직임은 무엇이였나요?
여러분의 인생 목표는 어떤 움직임을 가져다 주었나요?
목표는 있지만 망설이고 있나요?
아님 아직 목표를 못찾으셨나요?
그럼 답은 하나입니다! "Move"! "Keep Going"!
여러분이 혹시라도 영어문장에서
우리 청개구리 동사들을 만나면, 세모 모자를 씌워주세요. ^^
그럼 우리 금쪽이들이 여러분에게 선물을 드릴거에요.
바로 할수있다!! 라는 용기를요!
세모를 그려주신 여러분도 움직였고,
사소하지만 해냈어요!!!!!^^
여러분은 충분히 잘 할 수 있어요!
여러분의 용기있는 움직임에 항상 응원합니다!
감사합니다!

여러분
환영
합니다

보어 작가님♪♪

#명사 #대명사 #형용사

#보충 #주어팬 #내면수행

Q: 작가님, 안녕하세요.
자기 소개와 함께
간단한 책 소개 부탁드리겠습니다.

A: 안녕하세요.
제 이름은 보어보살 입니다.
저는 영어나라 문장 숲 속
깊은 절에서 수행 중인 보살입니다.
저희 절에 자주 놀러 오는 명사와 대명사, 형용사
다 함께 내면공부를 하며
저는 저의 수행을 하고 있습니다.

Q: 아하! 그런데
보살님은 어떤 계기로 책을 쓰게 되셨나요?

A: 매일 내면 공부를 위하여 명상도 해보고,

많은 책도 읽어 보다가 우연히 주어 친구가

쓴 책을 읽게 되었습니다. 저는 다른이들을 먼저 생각하고

보충해주는 역할만 하던 저의 삶이 답답 하게 느껴졌고,

수행만으론 도저히 채워지지 않는 마음을 손 글씨로 쓰면서

저의 마음이 어떤지를 기록으로 남겨보며 수행을 시작하게

되었습니다. 그 동안 외면하고 피해왔던

제 진짜 내면의 지난 날들을 돌이켜 보니 다른 분들을 위하여

보충해야 한다는 무거운 책임감은 내려놓고,

온전히 기쁜 마음으로써 모두에게 기쁨과

긍정적인 마인드를 보충 해드릴 수 있는

보살이되어야 겠다고 생각을 결심하게 되었고,

행동으로 옮기기 까지

힘이 들었지만 제 곁에 명사, 대명사, 형용사

친구들의 많은 도움을 받아서

지금 여기까지 올 수 있게 되었습니다. ^^

38

Q.보살님의 깊은 내면을 통하여
더 귀중한 보물을 찾으신거 같아요!^^
감사합니다. 필자분들께 전달 말씀 부탁드려요.

A: 오늘 이렇게 뜻 깊은 자리를 함께
할 수 있어서 너무 감사합니다.
보충이라는 의미를
어떤 마음과 태도, 생각을 가지는 것이
가장 중요한 부분이라고 생각합니다.
억지로 채워도, 아무리 애를 써도
나에게 채워지지 않을때가 있지 않았나요?
아마도 보충을 다른 방법이나
다른 형태로 전환 해 볼 수 있는
터닝포인트의 신호가 아닐까 생각합니다.
저도 내면을 위한 수행을 하면서도
보충이 잘 될 때도 있고,
되지 않을때도 많았습니다.
동전의 앞,뒤 면 처럼 양면성을 가지는
우리의 삶을 살아가는 시점에서 적용 하게 된다면

우린 과연 어떤 마음과 어떤 방법으로
삶을 균형있게 바로잡으며, 어떤 중심을 가지며
살아가야 할까요?
여러분은 하나뿐인 인생 속에서 무엇을 더 보충하고 싶은가요?
제 개인적인 생각은 사랑을 더 많이 보충 해 보셨으면
좋겠습니다. 긍정 파워가 여러분 에게 더 좋은 일들이
생기도록 보충시켜 줄겁니다.
무엇보다도 여러분의 소중한 마음을 천천히 다독여 주세요.
더 많이, 더 애쓰지 않아도 여러분은 지금, 존재 자체만 으로도
충분히 멋지고, 예쁘고 빛나고 있으니까요.
여러분의 인생에 항상 긍정적인 일들과 사랑들이
가득하길 저 보어보살이 마음 속 깊이 기도 많이 하겠습니다.
감사합니다.

 Q: 작가님, 안녕하세요.
자기 소개와
함께 간단한
책 소개 부탁드리겠습니다.

 A: 안녕하세요.
저는 밝고 개성도 강하며
호기심도 강해
저만의 색깔이 있는 목적어 입니다.
저는 계획을 만들어 세상 어딘가에
저의 도움이 필요한 사람들에게
전해주고 픈 목적을 가진
평범한 사람이였습니다.

하지만, 저를 향한 비난의 목소리가
들리고, 잘못된 목적을 가진 사람이라고 낙인이되며,
그럼 나는 어떤 목적을 가져야 하는 사람이지?
나는 무엇을 해야하고, 어떤 일을 할 수 있는거지?
의문이 머리 속을 채우고 있을 때가 많았습니다.
그로 인해 눈치가 보이고 해답을 찾지 못하여 답답한 마음으로
제가 만든 부정적인 틀에 갇혀 버리게 되었죠.
결국 전 삶의 목적을 잃었어요. 이제 나에게는
나만의 색깔있는 계획도, 나란 아이도 없는것을..느낄 때,
Move!Move! 행동대장들 동사들이
저에게 용기를 주며 작고,하찮은 목적이라도 괜찮으니
우선 Just Do it!!!
동사들의 행동력과, 보어 보살님과 함께 마음 수행하는
명사,대명사도 저에게 도움을 주어서 스스로를
다시 돌아보게 되었습니다.
타인의 목표는 진정한 저의 목표를 이루지 못 할 거 같았어요.
나를 정의하는 목표는 결국 나다!
저의 파란 불꽃이 활활 타오르고 있었어요!
저의 파란불꽃 열정의 마음을 선물 해 드리고 싶어서
이 책을 쓰게 되었습니다.

Q. 작가님!!!

작가님의 열정!열정!열정! 파란 불꽃 팬이
된거 같습니다!! 저도 작가님 응원해요!!ㅠㅠ 감사합니다.
필자분들께 전달 말씀 부탁드려요!(열쩡!!)

A: 누구에게나 인생의 성장통을
겪으면서 자신의 목표에
한 발짝 내 딛는 과정을 겪어 보셨을거에요.
우리에게 다가 온 문제들은 문제로 머물다가
홀연히 사라집니다.다만 그 문제를 고통스럽게 잡는건
바로 "나" 입니다.
혼자 꽁꽁 숨겨두었다가 나 왜이렇게 힘들지?
나만 왜이렇게 고통스러운거지?
다른 사람들은 왜 이렇게 평온해 보일까?
나의 부정적인 마음들만 피어나
결국 그 심지가 나를 검게 태우고 있더라구요.

저 또한 마음을 감추고,

너무도 부끄러운 제 부정적인 마음을 붙들고,

힘든 시간 속에서 더 외면하고, 피하고, 도망치고 싶었지만

저의 생각 구름이 결국은 더 커져비와 바람, 먹구름을 몰고

저를 향해 오며 두려웠어요.

피할 곳을 더이상 찾지 못하여 부정적인 마음까지도 내려놓음을 하며

부정적인 마음도 내 마음이기에 있는그대로 받아 들였어요.

텅 비어 있는 공간과 마음 속에 진정으로 내가 좋아하는 것으로

채워보자는 마음으로 용기를 내었고, 저를 응원과 사랑으로

지켜 봐주던 친구들,가족들, 동료들이 있어서

저의 파란불꽃을 만들 수 있었어요.

우리 삶에 있어서 힘듬과 고통을 견뎌야 하는 순간이나

시간들이 존재하고,낯선 무언가를 향하여 용기를 가지는 게 쉽지 않지만

자신을 스스로 가치있게 생각하고 평가하면

주변의 모든 사람들이 자연히 여러분을 따를겁니다.

여러분의 삶의 목적은 지금 어디에 있나요?

지금, 당장 나의 눈 앞에 보이지않더라도

두려움을 자신감으로, 우울을 열정으로, 분노를 당당함으로, 짜증을 기쁨으로

다가서는 여러분의 용기를 응원해요!

여러분의 파란 불꽃의 온 마음을 응원합니다!

44

If you were a book, you would decide
만약 여러분의 인생이 한 권의 책이라면,

what chapters and climax to write.
어떤 단원들과, 클라이맥스를 쓸 지를.

No one can determine what your journeys
아무도 결정해 줄 수 없고 여러분의 여정들이

should look like ; it's up to you.
어떤 모습일지는 ; 여러분에게 달려 있습니다.

Don't let competitiors or critics
경쟁자들 혹은 비평가에게 허락하지 마세요.

steal the joy of your vision.
(무엇을?) 여러분 비전의 즐거움이 빼앗기는 것을.

You don't have to prove anything to anyone.
여러분은 증명 할 필요가 없습니다 /어떤것을/(누군가에게).

If your goal is to seek validation,
만약 여러분의 목표가 누군가의 인정을 위해 추구한다면,

nothing will ever be enough.
그 어떤 것도 충분하지 않을 것 입니다.

Show you who you are!
여러분을 있는 그대로 보여 주세요!

저의 신념은

여러분에게 더 많은

창의적인 인상,생각 (Idea)

기쁨과 (Delight)

즐거움 (Enjoy)

그리고

여러분만의 업적(Achievement)을

이루워 나갈 수 있는 용기를 드리고 싶습니다.

-SOYOUNG-

CINDY 선장과 함께 TREASURE HUNT!!

MAP

1 2 3 4 5

문장의 형식 보물지도

By. CINDY

영어 문장의 1~5형식 :)

49

의욕을 잃고
무기력 해진 cindy!
용 신들은
정신 못차리는
cindy에게
특별 임무를 주게 되는데...

CINDY 선장의
영어문장의 형식 보물찾기
대작전!

17개의
모자방울
찾아오기!

START!

영어
문장의 형식
보물지도 :)

CINDY:)

52

주어 – Subject :)

동사 – Verb :)

보어 – Complement :)

문장의 1형식 :)

Subject is between Cindy and Verb.

◇ Between A and B : A와 B 사이에 ◇

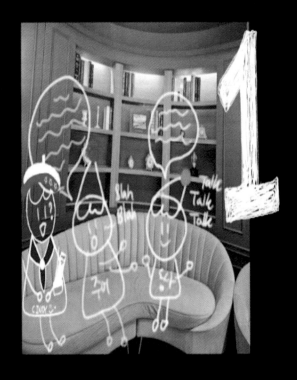

Cindy: 오!!! 영어로 이야기 하네... 대단하네..

음-_- ; 혼자 뻘쭘 하구만... 빨리 방울을...

주어: 여기~♥ 선물이야~♥
Cindy: 우와...너무 고마워+_+!!
(난..그냥 방울만 뺏어 가려고 했는데 ㅠㅠ)

Q : Cindy는 어디에 위치하고 있나요??
cindy / Be / Between A and B / Subject(주어)/Verb(동사)

A: (   )

Cindy는/ 동사 그리고 주어 사이에 /있다.

문장의 2형식 :)

Cindy : 이번엔 정신 바짝!!

(cindy 속 마음: 그 다음 방울은 어디 있을까? 두리번~)

어?!!!!!!! 위험해!!!!!

Subject looks dangerous!!
주어는/ 보인다/ 위험한 (dangerous :형용사)

Subject feels dizzy.

주어는/ 느껴진다 / 어지러운.

Q : 그럼 주어, 동사, 보어 중에서

지금 가장 어지러워 보이는 사람은??

A : (   )

Cindy: 저기 노란색 방울이 있다!!!!!!

오@.@??? 왜 어지러운거야????

Q : Cindy는 지금 어떻게 느끼고 있나요?
Cindy /dizzy/ feel / felt / feels/Cindy

A: (   )

Cindy는 / 느낀다(현재)/ 어지러운.

문장의 3형식 :)

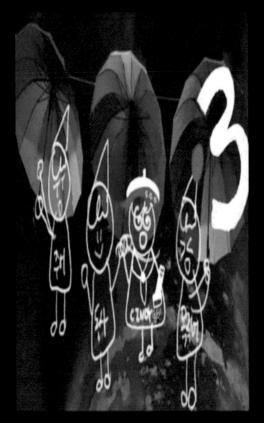

Cindy: 엥?! 여긴 또 어디냐! ㅠㅠ빙글빙글!!

목적어: 얏호호오오! 신난다!

동사 : Fly!! 우리가 날고 있어! Move!!! 움직여!!

주어: 내려줘! ㅠㅠ

I have an umbrella.

나는/ 가지고 있다 / (하나의) 우산을.

Cindy: OMG!!!! 초록 방울이다!!

조금만! 조금만!

더 뻗으면........

Cindy wants to get a green bead.

Cindy는/ 원한다/ 얻기를/(무엇을?) 하나의 초록색 방울을.

문장의 4형식 :)

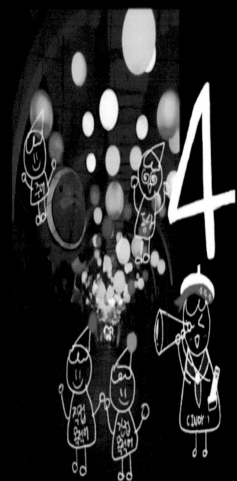

Cindy: 여기는 좀 쉽겠지?

애들도 얌전해 보이고 괜찮아 보여~.~

잘 살펴 보고 출발 해보자!!!

주어: 왜 싸우고 있는거야?

동사: 모르겠어...

서로 마주보고 아까부터 싸우고 있어..

직접 목적어: 원래 목적어 뜻은! ~을,를 이야!!

간접 목적어: 아니야! ~에게 뜻도 있거든!!

직접 목적어 : 뭐야!!(퍽!) (간접목적어랑 싸우는 중)

Cindy: ????????????????????????

Cindy made I.O (Indirect Object) and D.O (Direct Object)

Cindy는 / 만들어 주었다 / 간접목적어와 그리고 직접목적어에게

interesting music play list.

신나는 음악 목록들을.

Cindy: 애들아! 너희는 4형식에선 모두 목적어들이야!

싸우지 말고 각자 좋아하는 노래 list 만들어 줄게!

기분 좀 풀어♡

JEJU gave us happiness.

제주도는/ 주었다 /우리에게 / 행복을.

Cindy: 역시! 기분전환 하러 가기 좋은 곳은 제주도!!!

I love JEJU!

Cindy: 오! 여긴 좀 수월하게 방울을 얻을 수 있겠네!!! (후훗~.~!)

주어&동사 : 인스타그램에 사진 올리게 사진 찍자!!

목적어: 사진 예쁘게 찍어... 앗ㅠㅠ 살려줘!!!

Cindy: 어떻게!! 떨어지겠다!ㅠㅠ

목적격 보어: 내 손 잡아! 목적어야!!!

WET FLOOR! 미끄럼 주의!

WATCH OUT ! (=Be Careful) 조심해!

주어: 목적어야! 여기 미끄럼 주의 해야 된데.. 조심해!

목적어: (이미 뛰어 가는 목적어) 어어어?!!!!!!!

O.C helped him to wake up!

(Object Complement)

목적격보어는/ 도와주었어/그를(목적어를)/깨어날 수 있도록!

목적격 보어: 목적어야! 정신 좀 차려봐! 찜질팩 올려줘야 겠다.

목적어: @.@!

The Object made us surprised!

목적어는 / 만들었어 / 우리를 / 놀라게 한!

목적격 보어 : 또~넘어겼구나^^

주어 : 목적격 보어님~ 감사합니다. (-_-; 이그)

동사 : 목적어 머리에 혹~ 났다ㅋㅋㅋㅋㅋㅋㅋㅋㅋㅋ

Cindy : 너희가 함께 있어서 무지개 빛을 만들 수 있었어!
우린 서로서로 너무너무 소중해♥

Episode. 3 Wrap up –
You are so precious soul in the world ! :)

이번 Episode와 모든 Episode는 저의 생각과 경험에 모티브로 만들어지게

되었어요. 예전에 아이들 문법 지도를 위해 쉽게 이해 시켜주기 위해서

만들었던 문법 그림들을 책으로 만들고 싶다라고 생각만 하고 저의 내면

속 말풍선들은 나보다 훨씬 더 뛰어나고, 잘만들어 진 교재들도 많고,,

강사들도 넘치는데...내가 어떻게 할 수 있겠어..라고 말은 했지만,

되든 안되든 해보자! 라며 저의 모험이 시작 되었죠! 막상 시작은 했지만

방법도 모르겠고, 방향성도 안 잡혀서 잘 할 수 있을까? 불안한 마음과

부정적인 생각에 사로잡혀 몸도 마음도 힘들더라구요.

안되는 점들은 과감히 내려 놓고, 내가 해볼 수 있는 만큼만 하나씩 해보자!

생각하며 잘 안풀릴 때는 책을 읽으면서 생각 정리하고 많은 배움을 얻었어요.

새로운 생각을 창조해 내려면 낡고 오래 된 생각들을 놓아주어야 한다는

책의 문장을 보고, 아! 내가 살아가는 시대의 흐름이 끊임 없이 변화되고,

살아가는 방식도 달라지며, 심지어 내 몸 속 세포들도 때에 따라서 변하고

있는데 나는여전히 용기 내지 못하고 나의 생각의 틀 속에서 문제를

피하려고 핑계만 만들고 있었구나 하고 깨달았어요.

인생의 경험과 과정들, 결과들을 겪으면서

실패 할 수 있는 상황 속 나를 회복 시킬 수 있는

회복 탄력성의 힘을 키우는 것이 시간이

걸리더라도 내 삶을 위해서 너무 중요하다는 것을!

예전에는 잘 몰랐지만 저는 이제서야

나 자신을 사랑하고 이해하는 법을 알게 되었어요.

100%는 아니지만 계속해서 깨우치는

나의 내면 소통이 더 필요한 거 같아요.

나의 보물섬은 이미 나에게 존재하고 있었고

내가 어떻게 나의 보물섬을 예쁘게 꾸밀지

아니면 무인도로 만들지는 결국 나만의 선택과 책임 이더라구요.

73

예쁜 보물섬은 아니지만 온전히 저의 섬을 받아 들이니 무엇보다 저를 더 많이
생각 할 수 있었고 좋은 사람들과 만날 수 있는 기회도 만나게 되었어요.
따뜻하고 자상하시며, 긍정 에너지를 주신 지금 작가님도 뵙고, 누지타로님과
시타님의 진심 어린 조언들을 통해 제 마음에 균형을 잡고 재검토 할 수 있도록
응원해주셨고, 언제나 저의 빛과 소금이고 제 꿈의 가까워 지는 길에 함께
응원 해주신 멘토 상담사 현정쌤 그리고 책 만들기 배움의 과정을 가르쳐주신
고스트 북스 은지쌤, 저에게 따뜻한 마음을 가진 아이라며 소중하게 대해 주시고,
제 장점들을 알아봐주시며 응원 해주신 홍주쌤, 은아쌤, 성현이,다현이,기일이,
윤정이,호연이,그리고 내가 가장 좋아하는 친구 수민이,현정이
그리고 저에게 너무 소중한 엄마,아빠 그리고 내 동생 병건이♥
블리야님,케미K님 그리고 블로그 이웃분들의 응원을 받으며 포기 하지 않고
모든 과정들을 완성 할 수 있게 되었습니다.
저를 응원해 주셨던 분들 덕분 입니다.
정말 정말로 감사합니다! :) (싸랑해용♥)
우리의 삶은 불확실한 것으로 둘러 싸여 고난을 겪지만,
그 속에서 멋진 모험을 하며 콜롬버스 보다 더 진취적이고,
뛰어난 여러분의 마음 속 에는 이미 진정한 보물들을 가지고 있어요!
여러분들은 엄청난 잠재력과 무한한 가능성을 가진 멋진 사람이에요!
지금 당장 내 눈 앞에 목표나 나의 보물이 보이지 않을 지라도,
진심을 다해 여러분의 모험을 떠나 본다면
곧! 여러분의 원하는 목표를 찾게 될 겁니다 !
여러분들을 모두 응원합니다.♥
Cheer up! Fancy up!! Love you ♥

-SOYOUNG-

지선이 꿈꾸는방향으로
당당히 걸어나아가고
지선이 상상한 삶을
살기위해 노력하는 사람은
우연한시간에 예상치못한
성공을 만난것이다

- Henry David Thoreau-

Epilogue :) - Dear, My Cindy :)

나의 무의식에서만 살고 있던

너가 나의 현실 세계로 다가와 주었을 때,

너의 웃음이 나를 웃게 해주었고, 힘든 일이

생기거나 포기하고 싶은 순간들 마다

너를 그리면서 기운 낼 수 있었어.

"괜찮아, 넌 충분히 잘하고 있어."

라며 전해주는 너를 통해서

나라는 아이를 바라 볼 수 있었고

내가 가르쳤던 아이들과

내가 더 친해지고 소통 할 수 있는

연결 고리가 되어 주어서

아이들에게 지식과 행복을 전해 줄 수 있었고

나의 꿈을 키울 수 있었어.

너를 통해서 내가 사랑하는 사람들에게 축하도 해주고,

응원과 행복을 주며, 위로도 해 줄 수 있었고 나의 마음을

많은 사람들에게 전달 해 줄 수 있는 기회들을 나에게 선물 해 주며

나답게 살아갈 수 있는, 나만의 세계를 그릴 수 있는

용기를 주었고 넌 나를 여기까지 이끌어 준거 같아.

Cindy did is Cindy did!!

이 세상 넓은 우주 한 가운데에서 수 많은 사람들 중

나를 찾아와 주어서 너무 너무 고마워♥

기쁘고 행복한 날에도, 슬프고 화가 나고 힘든 날에도

소영이 답게! CINDY 답게! 우리 앞으로도 잘 해보자!

고마워 Cindy~♥

- SOYOUNG-